Dominique Torti

Panique
à la ferme !

école
vivante

Niveau 2

JE SAIS

a e é è i o u y

f j l m n r s v z

b c d g h p t x

– lire un mot simple et le comprendre.

J'APPRENDS

– les différentes manières de transcrire le son (k).

c   k   q   qu

– à retenir et comprendre ce que j'ai lu.

Pour t'aider dans la lecture

Les lettres en bleu t'aident à reconnaître le son (k). Elles sont collées l'une à l'autre car, ensemble, elles forment ce son.

Qui a pris la plume ?

Les lettres en gris ne disent rien, elles restent muettes.

LULU

ELIOT

Panique
à la ferme !

Arriveras-tu à résoudre
l'énigme avant Eliot ?

Cocorico ! Le coq crie.

Cocorico ! Le coq hurle.

Que se passe-t-il ?

Le coq panique.

Ma plume a disparu !
Ma plus jolie plume...

Qui a piqué ma plume verte ?

SNIF SNIF SNIF

Eliot arrive à la ferme.

Le coq explique à Eliot
ce qui se passe.

Eliot observe.

Eliot mène l'enquête,

il écrit une liste de quatre suspects.

Monique

Riquiqui

Pâquerette

Quinoa

D'abord,

Eliot va jusqu'à l'étable.

L'animal qui a pris la plume
a du gris sur lui.

Après,

Eliot questionne la truie.

As-tu vu la plume verte ?

Pâquerette

Riquiqui

Quinoa

Monique

Eliot quitte la ferme,

il se promène à côté du pré.

Qui a pris la plume ?

Eliot a résolu l'énigme.

Et toi,
as-tu réussi ?

Eliot lit l'étiquette

sur la porte de l'écurie.

Il a vu la plume !

Eliot rapporte la plume.

JE JOUE
AVEC LULU ET ELIOT !

As-tu vu le petit escargot ?

Il s'est caché dans chaque double page de ce livre !

Dessine le chemin d'Eliot.

ferme > vélo > coq > âne > arbre > plume > canard > cabane

Départ

Arrivée

Trouve les mots cachés dans la grille.

âne   pré   coq   ferme

canard   plume   vélo   écurie

y	l	c	o	q	e	f	e	v
h	k	a	j	f	p	o	q	z
c	x	n	j	n	l	s	l	p
f	q	a	é	c	u	r	i	e
f	e	r	m	e	m	p	p	y
x	â	d	q	f	e	r	t	s
r	n	p	h	d	u	é	j	é
f	e	r	m	e	c	f	b	a
h	y	a	e	o	v	é	l	o

Qui adore les carottes ?
Suis le mot « carotte » pour le découvrir.

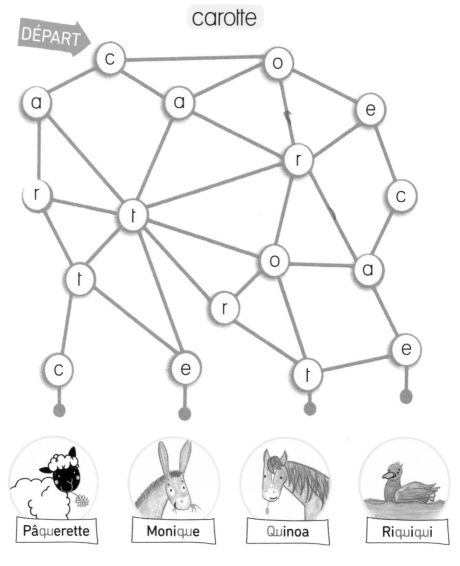

carotte

DÉPART

Pâquerette   Monique   Quinoa   Riquiqui

C'est .... qui adore les carottes.

Relie les points de 1 à 27, puis colorie.

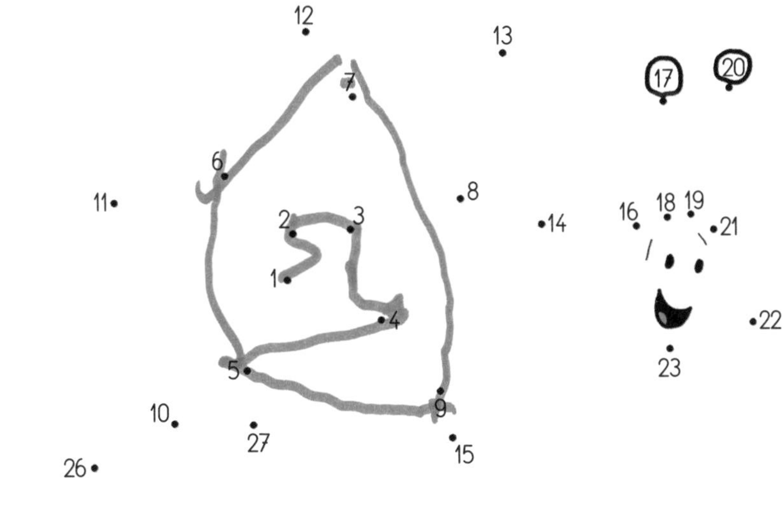

12

13

7

17 20

6

11

8

2 3

14

16 18 19

21

1

22

4

23

5

10

9

27

15

26

25

24

Aide Eliot à arriver jusqu'à la ferme.
Découvre le mot mystère.

Le mot mystère :

_ _ _ _ _ _ _

CORRIGÉS DES JEUX

Page 32

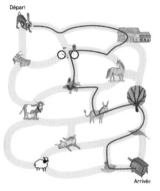

Page 33

y	l	c	o	q	e	f	e	v
h	k	a	j	f	p	o	q	z
c	x	n	j	n	l	s	l	p
f	q	a	é	c	u	r	i	e
f	e	r	m	e	m	p	p	y
x	ã	d	q	f	e	r	t	s
r	n	p	h	d	u	é	j	é
f	e	r	m	e	c	f	b	a
h	y	a	e	o	v	é	l	o

Page 34

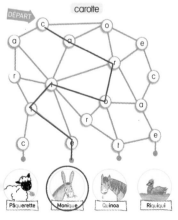

C'est **Monique** qui adore les carottes.

Page 35

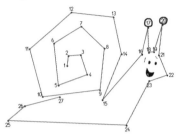

Pages 36-37

Page 38

Le mot mystère : **COCORICO**

Retrouve Lulu et Eliot sur
www.petit-detective.fr
pour continuer à apprendre
en t'amusant !

© École Vivante 2022, une marque des éditions Retz
ISBN : 978-2-36638-121-4
Dépôt légal : août 2022 – Code 223930

Direction éditoriale : Céline Lorcher
Éditrice : Élodie Chaudière
Relecture : Elvire Lakraa et Thaïs Loisel
Création de la maquette : Dominique Torti
Illustratrice : Dominique Torti
Couverture : Alice Leroy
Mise en page : STDI

MIXTE
Papier issu de
sources responsables
FSC® C022030

Conçu & fabriqué
en **France**

N° de projet : 10283591
Achevé d'imprimer en France en août 2022 sur les presses de l'imprimerie Clerc